迪士尼 我会自己读 第1级

苏菲亚的小鸟

童趣出版有限公司编　　人民邮电出版社出版

北　京

缓步出发大步走

儿童阅读的作用和意义，家长们已经达成共识，不再需要热烈讨论。不过，家长们还是有一些普遍困惑，例如，孩子在幼儿园要不要识字？通过什么方式识字？孩子在幼儿园不识字能否应对小学之初的压力？如何处理父母读和自主读的关系？阅读兴趣和语言学习如何兼顾？

这套书正是为了解答上述疑惑而编写的。编写者希望在儿童阅读的纷繁流派中，坚持一些基本观点，探索中国孩子学习阅读的独特途径。这些观点主要如下：一、早期阅读要把阅读兴趣的培养放到最重要的位置来考虑；二、通过这套书让孩子在幼儿园认识 400 个常用字，为小学阶段的学习减轻压力和奠定基础；三、不鼓励父母用识字卡片的方式教孩子识字，把生字放到故事中更有意义；四、在小学三年级的阅读关键期，实现孩子自主阅读；五、幼儿园阶段既鼓励亲子阅读，又鼓励孩子自主阅读。由此，这套书主要有如下特点：

科学性。从选择高频、简单、构词能力强的字先认，到通过各种方式复现，再到故事内容的打磨，最后培养出优秀的阅读者。从分级阅读的角度，综合考虑生字、生词、句子长度、主题深浅等多个因素，编写出难度递增的故事。

趣味性。选择了迪士尼的漫画人物和漫画故事作为主要内容，降低阅读难度，增强阅读趣味。由于有识字的安排，创作故事犹如"戴着镣铐跳舞"，但故事仍然精彩十足，劲道十足。

功能性。把识字放在重要位置，同时兼顾文学性。和时下流行的图画书不同，本套书把学习功能放到重要位置。希望通过有趣的故事，让孩子认识汉字，早日实现自主阅读。

希望通过这套书，帮助孩子在阅读之路上缓缓起步，培养自信，锻炼能力，然后再大步流星，一路前行，成为趣味高雅、兴趣充盈的阅读者！

王林（儿童阅读专家）

苏菲亚的小鸟

爸爸爱
苏菲亚

妈妈爱 。

苏菲亚

苏菲亚

爱大家。

一天早上，出去玩儿。

苏菲亚

苏菲亚 看到一只小鸟，

"小鸟，你好！"

8

"  ，你好！"

苏菲亚

"到我家来玩吧。"

"不去，不去。我找妈妈。"

“看，好吃的  。”

樱桃

“不吃，不吃，我找我的家。”

"好吧，我来找。"

苏菲亚

找啊找，找啊找……

看到了！看到了！

小鸟的家在高高的 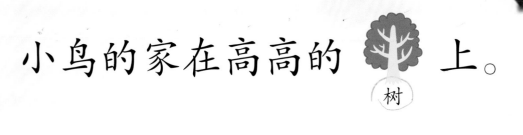 上。

小鸟的妈妈看到了小鸟！

小鸟找到了妈妈，
好高兴！

我爱爸爸，我爱妈妈。

我爱我的家。

苏菲亚找春天

春天来了！

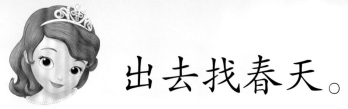

苏菲亚

出去找春天。

苏菲亚 看到小花、小草出来了。

小鸟飞来了。
找到了春天，好高兴。

苏菲亚

春来花儿好，

我去找一找，

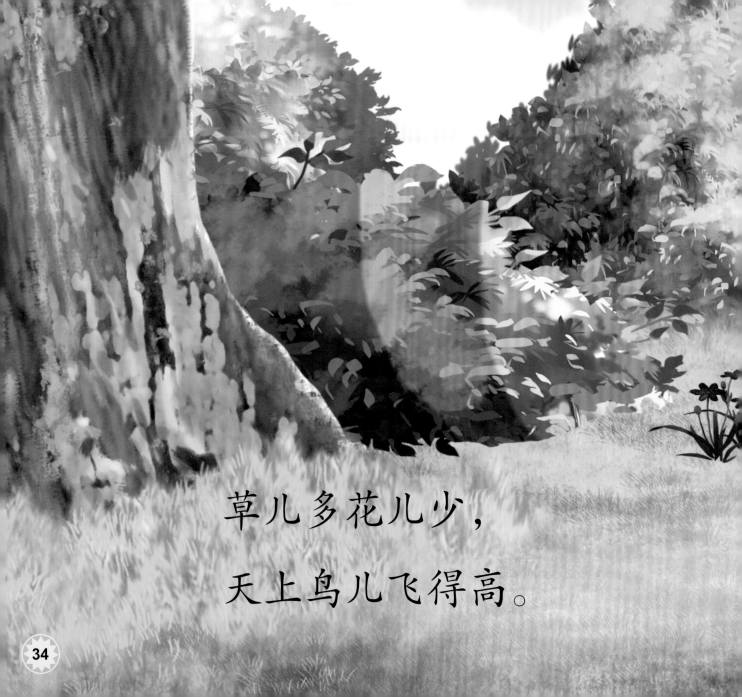

草儿多花儿少，

天上鸟儿飞得高。

爸爸高兴地笑了。

妈妈高兴地笑了。

小兔 高兴地笑了。

春天到，春天到，

天上地下春来早。

五六七朵花，

八九十只鸟。

苏菲亚

爱小鸟，爱小花，
爱小草。

苏菲亚

找到了春天。

看图识字，把每幅图与它相对应的汉字连起来。

爸　　妈　　鸟

顺着下面的脚印，为每个字宝宝找到它的朋友吧！

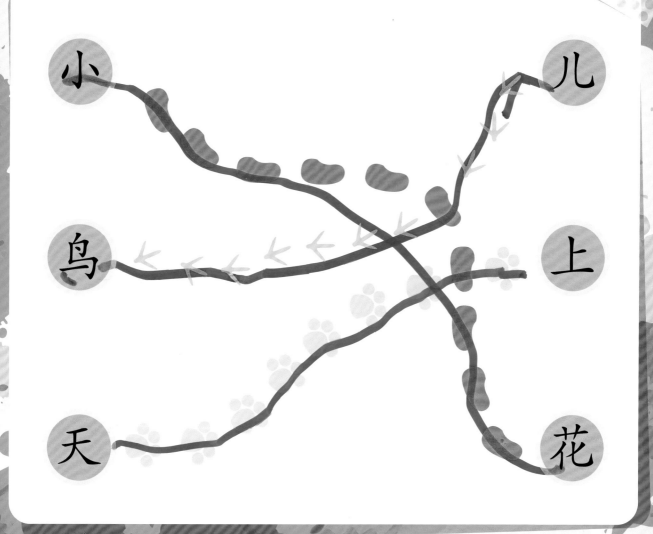

游戏测试页

下面的句子你会读吗?
每读对一句就把它旁边的 ☆ 涂上颜色。

 我爱爸爸！　　 春来花儿好。

 我爱妈妈！　　 我去找一找。

超范围字

ba	a	zài
吧	啊	在

fēi	de	duǒ
飞	得	朵

一	二	三	四	五	六	七	八
九	十	两	上	下	大	小	多
少	个	花	草	天	地	春	鸟
朋	友	出	去	到	来	看	吃
笑	找	爱	玩	儿	了	只	的
不	高	兴	好	早	我		
你	爸	妈	家				

苏菲亚的故事真好看，我还想看！下面的小书你都看过了吗？
看过了就在书的旁边打个"√"，没有看过的快去看吧！

专家小贴士

建议孩子同一级别的书多读几本，提高重点字的复现率，便于孩子强化巩固已认生字。